Digne

Moustier

Castellane

Peillon

Touette
sur Loup

Saint Paul
de Vence
cagne

Eze

Nice

Grasse

Biot

Seillans

Mougin

Antibes

Cannes

Cotignac

Draguignan

Fréjus

noles

Grimaud

Saint Tropez

Gassin

Ramatuelle

Le Lavandou

Hyères

Porquerolles

VILLAGES DE PROVENCE

ISBN 2-903059-47-0

VILLAGES DE PROVENCE

Photos Christian Sarramon.
Texte Alain Paire.

Rivages

Préface

Réparti depuis le Comtat Venaissin jusqu'aux
frontières du pays niçois, en passant par les Alpilles,
le Luberon puis le littoral, l'échantillonnage des vingt-huit
villages de Provence ici présenté ne prétend pas pouvoir offrir
une vision exhaustive de ce que peuvent être les petites
agglomérations du sud de la France. Le choix, ici pratiqué par le
photographe et l'éditeur, reste purement subjectif :
il s'agit simplement d'une invitation au voyage loin des grandes
villes, au cœur d'itinéraires et de paysages pour l'essentiel préservés
de toutes sortes d'enlaidissements malheureusement récents.

Une vision d'ensemble se dégage pourtant
au fil des pages, celle tout à fait caractéristique et familière,
en Provence de l'intérieur comme en bordure de côte,
du village perché, avec ses maisons et ses toitures superposées
les unes aux autres, ses ruelles étroites et son exposition au
soleil savamment calculée. Mais en même temps ce livre avait pour
dessein premier de ne pas gommer les particularismes, et de
rendre saillantes certaines différences. La chose fut d'ailleurs facile,

Oppède-le-Vieux ne ressemble pas à Moustiers Sainte-Marie,
Séguret n'a rien de commun avec Eygalières, Porquerolles
n'est pas Saint-Tropez.

En outre, moins réputés que d'autres, bien que présentant
des aspects tout à fait singuliers, de très beaux villages
comme par exemple Crestet (dans le Vaucluse) ou Peillon (dans
le comté de Nice, soit légèrement hors des frontières naturelles
de la Provence) échappent totalement aux images conventionnelles
qui se sont parfois fâcheusement imposées à propos du sud
de la France : il est évidemment infiniment réconfortant de pouvoir
découvrir des endroits aussi magiques, des lieux à ce point
exemptés (pour combien de temps encore ?) du règne du béton et
de l'exploitation touristique.

Un dernier trait commun réunit quand même tous ces
groupements d'habitations : leur longévité, leur faculté
d'adaptation et de rémanence en face de tous les soubresauts de
l'histoire qui n'a jamais épargné le fond de nos campagnes, ne
serait-ce que sur le plan de la vie économique. Parce qu'il occupe

originellement un emplacement élu pour d'excellentes raisons (le plus souvent il s'agit d'un site bien abrité du vent, proche d'un point d'eau, jamais trop éloigné des grandes voies de communication), le village de Provence ici présenté, qu'il soit issu de l'oppidum celto-ligure ou du castrum médiéval, relève toujours d'une implantation très ancienne : quelle que soit la gravité des épisodes douloureux qu'il a pu traverser, il n'a jamais été totalement déserté.

Ces dernières années, on a souvent écrit et pensé que le monde rural était en péril. Sans pour autant vouloir transformer chacun de ces sites en un musée des arts et des traditions populaires, nombreux sont ceux qui souhaiteraient que soit préservée et développée l'armature sociologique et écologique qui a permis l'étonnante survivance de tous ces villages.

A l'heure de la « rurbanisation », c'est-à-dire du reflux des citadins vers la campagne (et chacun sait que trop souvent les gens des villes, chaque année et pendant près de dix mois, maintiennent clos les volets des maisons provençales), au niveau du texte comme de l'image, une dimension ne pouvait pas être esquivée : celle des mutations irréversibles opérées au cœur de ces villages lorsque les résidents secondaires ou bien les retraités définitifs s'y sont installés pendant les années soixante.

Par rapport à « ce monde que nous avons perdu », sans chercher à provoquer des cris de révolte ou bien des soupirs de nostalgie, le photographe a travaillé à relever des configurations d'ensemble ou bien des indices à la fois minimes et éloquents qui, même s'ils sont parfois oblitérés par les dégâts du progrès, permettent d'identifier de manière indubitable, la personnalité et la beauté de chacun de ces villages.

En contrepoint à ce discours de l'image, le texte s'efforce de restituer quelques-unes des composantes du village, son rapport au passé lointain ainsi qu'au présent immédiat.

Les Baux

E lu comme lieu d'habitation ou bien de refuge dès l'époque néolithique, cet éperon rocheux servit de place forte presque inexpugnable à une famille féodale qui, du IXe au XIIe siècle, ne cessa pas d'étendre son emprise sur les régions alentour. Au temps de la splendeur des Baux, l'un des rejetons de cette famille — qui compta dans ses rangs de turbulents personnages —, Raimond des Baux, détenait 79 fiefs, terres ou châteaux dispersés dans toute la Provence.

Tour à tour « princes d'Orange » ou bien « vicomtes de Marseille », les seigneurs baussencs entrèrent en conflit avec les comtes de Barcelone qui contrôlaient d'autres portions du territoire du Midi de la France.

Tout en connaissant des destins tragiques — Guillaume, prince d'Orange, fut par exemple écorché vif et découpé en morceaux lors d'un affrontement avec les Albigeois —, ces continuels guerroyeurs étaient aussi des gens appartenant aux milieux les plus raffinés de la civilisation médiévale : ils établirent aux Baux des cours d'Amour fréquentées par de grands troubadours comme Raimbaut de Vaqueiras et Giraut de Borneil dont Dante a dit qu'il fut le « poète de la rectitude ».

L'un de leurs descendants, le vicomte Raymond de Turenne, ne fit nullement honneur à leur lignée : il mit à feu et à sang la Provence, recruta et finança de dangereux mercenaires peu regardants quant à l'éventuelle origine de leurs butins. On raconte que ce chef de bande éprouvait un odieux penchant pour d'implacables exécutions capitales : il avait pour distraction favorite de faire précipiter ses victimes depuis le sommet des ravins à pic qui entouraient son château.

Après ces temps de désordre et l'extinction de la race des Baux, la seigneurie devint une simple baronnie rattachée aux Comtés de Provence, accordée par faveur royale aux connétables. La cité connut malgré tout un renouveau architectural pendant la Renaissance, en particulier grâce à la famille des Manville qui y construisit son hôtel et adopta la religion réformée.

C'est à Louis XIII et Richelieu qu'on doit la destruction du château considéré par eux comme un éventuel foyer d'insubordination : les habitants de la cité durent même payer un fort impôt pour cette opération d'éradication qui ne laissa subsister de l'altière forteresse que des communs, la travée d'une chapelle, un ancien colombier, des débris de tours ou de murailles qui s'ouvrent dangereusement sur le vide et un donjon.

Après quoi et jusqu'à l'après-dernière guerre, les Baux connurent un long temps de léthargie : la cité qui avait compté entre 4 et 6.000 habitants se dépeupla au profit des hameaux de Maussane et Mourioux, plus proches des terres cultivables.

Les Baux demeurèrent actifs grâce aux carrières cyclopéennes qui les entourent, où se découpent de beaux blocs propres à la statuaire. D'autre part, le minerai auquel la cité donna son nom, la bauxite, y fut découvert et extrait à partir de 1822.

C'est évidemment le tourisme qui a redonné vie à la cité morte, avec toutes les conséquences qu'il entraîne.

Un million de visiteurs
se rendent chaque année aux Baux.
Il est déjà loin le temps où André Suarès
et Louis Jou vivaient parmi les ronces et les
ruines : à leur époque, la cité-musée ne
connaissait d'affluence que lors
de la veillée de Noël, lorsque les
bergers de la Crau venaient
apporter en offrande un
agneau nouveau-né.

Eygalières

Au pied du versant est des Alpilles, à peu de distance d'Orgon et d'Avignon, Eygalières doit sa très ancienne implantation, au cœur d'une colline rocheuse, à ses eaux de sources, abondantes et recherchées, qui ont également forgé son étymologie. Dès l'époque romaine, au moment où fut créé un aqueduc afin d'acheminer de l'eau jusqu'à Arles, ce village s'appelait « Aquilaria », c'est-à-dire « la ramasseuse d'eau ».

Grâce à ses carrières de belle pierre, Eygalières s'était par ailleurs fait une spécialité de la fabrication des meules à blé. Les meules à blé de ce village avaient effectivement une large diffusion : au XIXᵉ siècle une usine, qui employait une centaine d'ouvriers, les exportait aux Etats-Unis et en Russie. D'un poids respectable — entre 120 et 300 kilos — elles étaient tout d'abord transportées par charrettes jusqu'au port de Marseille qui se chargeait de les expédier vers leurs commanditaires.

Eparpillées sur la colline, les ruines d'un château forment l'ossature de la partie ancienne du village, un escarpement à partir duquel on aperçoit les lignes de crête de la montagne de la Caume qui furent le théâtre des premiers essais d'alpinisme de Tartarin de Tarascon.

Une petite église romane dédiée à saint Laurent, malheureusement défigurée par un très fâcheux clocher du siècle dernier ; la chapelle des Pénitents du XVIIᵉ siècle qui abrite un musée lapidaire et l'hôtel Renaissance de la famille des Bruno-Isnard complètent une agréable flânerie au cœur de ruelles tortueuses parmi de très belles maisons particulières. Dans la grand'rue, des commerces d'antiquaires, des galeries se sont regroupés.

Venus de la ville, les résidents secondaires
ou permanents ont restauré avec parfois beaucoup
de goût les maisons des villages provençaux, en les dotant
par exemple de belles apparences extérieures (au niveau
des menuiseries, des crépis ou bien des pierres apparentes). Ils
ont créé le " style néo-régional " qui ne correspond pas,
malgré certaines réussites, à ce que fut la maison
d'autrefois.

Lourmarin

C e village n'était au XIIᵉ siècle qu'un lieu de vie pour deux petites communautés de moines bénédictins dépendant de la Chartreuse de Villeneuve. Afin de peupler cet endroit, où ils bâtirent un château, les seigneurs d'Agoult firent venir du Piémont des colons vaudois qui défrichèrent et cultivèrent les terres fertiles des alentours.

Très travailleuse, mais jugée hérétique, cette communauté de Vaudois qui avait essaimé dans plusieurs autres villages du Luberon et résistait à l'envoi de missionnaires catholiques comme aux menaces de persécutions, finit par encourir la colère royale. Le 1ᵉʳ février 1545, François Iᵉʳ ordonna que « le pays soit dépeuplé et nettoyé de tels séducteurs et gens mal-sentants de la foi ». Conduite du 16 au 21 avril par Maynier d'Oppède, la répression fut sanglante et fit de Lourmarin un village martyr (une vingtaine d'autres villages et notamment Mérindol furent pillés et incendiés, deux mille personnes furent massacrées, six mille autres envoyées aux galères).

Bâti sur une butte située un peu en retrait du village, le château comporte une partie médiévale et surtout un corps de bâtiments Renaissance que Blanche de Levis fit construire en 1543. Cette demeure connut un long temps de déshérence : à peine achevée, ses seigneurs lui préférèrent leur château de La Tour d'Aigues. Cet abandon entraîna une dégradation progressive des lieux qui passèrent entre plusieurs mains et finirent par devenir un lieu de séjour, une étape privilégiée pour les gitans qui ralliaient chaque année les Saintes-Maries-de-la-Mer. En 1920, un industriel lyonnais, Robert Laurent Vuibert, racheta les ruines, remit en état les planchers effondrés et restaura entièrement le château qui devint le siège d'une fondation culturelle dont Henri Bosco fut par la suite le conservateur. Albert Camus, sur le conseil de son professeur de philosophie et ami, l'écrivain Jean Grenier qui fut lui aussi un familier du Luberon, avait élu domicile à Lourmarin. C'est au cimetière du village, là où l'on peut aussi reconnaître la tombe d'Henri Bosco, qu'il fut inhumé en 1960.

L'eau courante ne desservant pas leurs maisons,
les femmes étaient autrefois quotidiennement astreintes
aux corvées d'eau. Dans son livre sur " L'Architecture rurale
en Provence", Ch. Bromberger mentionne que " dans ce pays où
l'on apprécie la saveur de l'eau à mille nuances, on n'hésitait
pas, encore récemment, à faire de longs trajets pour avoir
sur la table une cruche puisée à la meilleure source ".

Fort peu éloignée du village et du château de
Lourmarin, cette demeure s'apparente aux bastides
qui fleurirent en Provence à partir du XVIᵉ siècle. Tout
citadin fortuné avait pour point d'honneur de se doter de ce type
d'habitation. Ces demeures n'étaient pas uniquement des
lieux de villégiature, un régisseur et du personnel
rentabilisaient leur exploitation.

Oppède-le-Vieux

Un peu à l'écart par rapport aux voies les plus touristiques, le village est accroché à 350 mètres d'altitude sur le versant nord de la chaîne du Luberon. Après avoir subi une nette décrue, sa population — à la fin du XIXᵉ siècle Oppède comptait 1.300 habitants — s'est à peu près stabilisée : en 1936 on dénombre 857 habitants, en 1975, 907.

En revanche, sa composition sociologique, ses sites d'habitation ont été modifiés : les paysans ont peu à peu délaissé les maisons qui se trouvaient au pied des remparts afin de se fixer en contrebas, dans le hameau des Poulivets, plus proche de la plaine d'Apt et de ses cultures.

Des artistes, des intellectuels (certains, inquiétés par les persécutions nazies, étaient venus s'installer pendant la dernière guerre) ont peu à peu restauré et habité les maisons qui n'étaient pas tout à fait en ruines.

Malgré ces restaurations, la partie haute et fortifiée d'Oppède est magnifiquement sauvage. Elle comporte au sommet de la pente une église romane et les ruines d'un château fort à l'intérieur duquel les arbres et le lierre ont pris racine.

Ce château occupe un site éminemment stratégique dans la mesure où ses trois autres côtés débouchent sur le vide des ravins (un certain Pierre de Lune, plus connu sous le nom d'antipape Benoît XIII fut précipité du haut de ces mêmes ravins).

Raymond VI, comte de Toulouse, fit construire ce château et le céda ensuite à Innocent III, en 1209. Longtemps propriété des papes, ce lieu devint au seizième siècle la possession de la famille des Maynier d'Oppède, dont l'un des membres, sans avoir la réputation du marquis de Sade et du château de Lacoste, a beaucoup fait pour que le nom d'Oppède soit gravé dans les mémoires.

Né en 1495, Jean-Baptiste Maynier d'Oppède, président du parlement de la même ville, aurait pu n'être qu'un membre de la noblesse de robe, un simple humaniste de bon niveau (il publia en 1538 une traduction en vers des Triomphes de Pétrarque) s'il n'avait pas été en 1545 celui qui se chargea de la féroce répression des Vaudois (nous en avons déjà parlé à propos de Lourmarin).

Voici comment il eut soin, au cours de cette horrible extermination, d'agrandir son propre domaine :

« Il a fait mourir de faim en sa citerne cinq ou six paysans, ses sujets, auxquels il a fait croire qu'ils étaient luthériens et vaudois afin d'avoir leurs biens et leurs héritages, qu'il a pris en main pour augmenter sa seigneurie qui était, avant, peu de chose ».

Grand amoureux du Luberon, Henri Bosco a plusieurs fois situé à Oppède le cadre de ses romans. Pour Bosco, « un village provençal est avant tout un groupement humain fait pour attendre.

Aussi on y attend toujours quelqu'un ou quelque chose, même quand il n'y a aucune raison valable à cet espoir...

On attend l'orage, on attend le vent, la pluie, la neige, et plus que tout, on attend le merveilleux, ce merveilleux qui n'a ni nom ni forme imaginable ».

*Pour accéder à la partie haute d'Oppède,
une fois franchie une vieille porte voûtée, on gravit
un chemin dallé et ombragé qui serpente au milieu des vestiges
de remparts envahis par les herbes, à côté des
restes d'habitations démantelées.*

Ménerbes

En découvrant la forme allongée de ce village établi sur la surface étroite d'un promontoir rocheux situé à 224 mètres d'altitude, tous ceux qui ont tenté d'en faire description ont été irrésistiblement tentés d'évoquer la silhouette d'un navire. Parmi ceux-ci, le poète André Frénaud, qui composa en 1953 un poème à propos de ce village, songe à « une île de pierre dans l'azur / qui appareille par grand vent ». Un peu après, pour exprimer le sentiment de plénitude qu'on peut éprouver lors de la rencontre d'un tel lieu, il célèbre « un dimanche perpétuel au pas des portes »... « Lorsque le car s'est arrêté près des lauriers-roses / J'ai retrouvé la vraie contrée qui m'était promise ».

Maints témoignages — en particulier la présence de l'unique dolmen de la région vauclusienne, qu'on peut découvrir en contrebas de la route qui mène jusqu'à Bonnieux — attestent de l'ancienneté du peuplement dans cet endroit. Au Ve siècle, un pionnier de la vie monastique en Gaule, Saint-Castor, futur évêque d'Apt, y fonde le monastère de Mananque. Quant au nom même de Ménerbes, il est mentionné dès 1081...

Ce village devint en 1573 une place forte du protestantisme et le demeura pendant cinq ans. Henri Vendôme dut rassembler une troupe de 6.000 soldats armés de seize canons pour venir à bout de leur résistance. Le siège dura quinze longs mois. Enfermés dans un castellet, les protestants qui étaient en nombre réduit (cent vingt hommes et cent dix femmes, filles et enfants) avaient à leur tête un opiniâtre, Ferrier, originaire de Bonnieux, surnommé à bon droit « l'homme de fer ». Après négociations, ces hommes finirent par capituler le 7 décembre 1578.

La place forte qui fut le théâtre de cette lutte acharnée conserve une partie de son système de défense (deux tours d'angles, des machicoulis et une portion de chemin de ronde). Elle est devenue une demeure privée comportant un jardin suspendu. La traversée du village permet de visiter l'église de l'Assomption, construite au XIVe siècle. Quand on arrive à l'extrémité du promontoire de Ménerbes, on est aux abords d'un cimetière à partir duquel une très belle vue permet de contempler Gordes et Roussillon, le mont Ventoux, les plateaux du Vaucluse et du Luberon.

Ménerbes fut, au dix-neuvième siècle, le lieu de naissance du poète Clovis Hugues. Le peintre Nicolas de Stael y passa une partie des dernières années de sa vie.

Vraisemblablement ennuyé par la longueur
des quinze mois de siège que Ménerbes subit à la
fin du seizième siècle, un historien des guerres de religion
témoigna d'une étonnante aversion pour ce très beau site. Ce
chroniqueur — il s'appelle Louis de Perussis — décrivit
Ménerbes comme " un vilain lieu, une bicoque mal
située qui n'en valait pas la peine ". Pareil
parti pris se passe évidemment de
commentaires.

Bonnieux

Au sortir de la combe de Lourmarin, à quelques kilomètres d'Apt et à 435 mètres d'altitude, Bonnieux réserve la surprise de sa silhouette en triangle au sommet de laquelle pointe son église surmontée de très grands et très beaux cèdres tricentenaires.

Ici encore comme dans maints sites de village perché, le peuplement est ancien : des traces remontent au néolithique, d'autres vestiges attestent d'une présence à l'époque gallo-romaine. Avant d'appartenir à la papauté, Bonnieux fut le siège d'une commanderie de templiers qui contribuèrent à faire de l'oppidum primitif un site fortifié.
Au Moyen Age une triple enceinte de remparts délimitait vigoureusement le village. C'est cette succession de remparts que la spirale de la route doit contourner lorsqu'on arrive depuis la route de Lacoste, tout en bas du village, et qu'on veut se hisser jusqu'au quartier proche de l'église haute.

Après avoir flâné dans les rues, visité le nouveau Musée de la Boulangerie, on peut aller à pied jusqu'à l'église : on traverse un passage voûté et l'on gravit directement un escalier qui compte, nous dit-on, quatre-vingts marches.
Depuis le terre-plein de l'ancien cimetière de cette église mi-romane mi-gothique, on découvre la cascade des toits du village — la ponctuation d'un campanile en ferronnerie du dix-huitième siècle permet de repérer aisément l'emplacement de la mairie.
En contrebas, on aperçoit aussi les fertiles plaines du Calavon qui ont permis à une partie des gens de Bonnieux de résister à la tentation de l'exode rural.

Les cèdres, qui surplombent l'église haute et que l'on retrouve sur la ligne des crêtes du Parc Naturel Régional, inspirèrent quelques lignes au romancier Yves Berger, dans sa préface au livre de photographies de Martine Franck « Les Luberons » : « Une fois, à la naissance de la nuit, j'avais voulu marcher jusqu'à Bonnieux pour vérifier le bien-fondé d'une comparaison qui m'avait frappé : savoir que ce bourg perché, l'un des plus beaux du Luberon, ressemble sous les étoiles, au Tolède du Greco. C'était vrai, d'une vérité grandiose. »

*Chaque village comptait dans sa population une
mini-aristocratie qui ne manquait pas de distinguer sa
demeure des autres maisons de villages à l'aide de quelques
signes plus ou moins ostentatoires : armoiries, bas-reliefs sculptés,
ou bien portes en très beau bois.*

Roussillon

Pour évoquer ce village du Luberon, nous allons enfin pouvoir changer de registre ; cette fois-ci, point d'événements tragiques, de répression ayant trait aux guerres de religion.

Après d'autres livres, on pourrait certes se complaire à raconter l'histoire de ce seigneur de Roussillon qui contraignit son épouse à manger, sans qu'elle le sache, le cœur de son amant ; mais cette sanglante histoire de troubadours, qui aurait eu pour cadre les ruines de l'ancien château, fut en fait vécue au pied des Pyrénées, ce n'est pas chez elle qu'on trouvera l'origine de ces falaises d'ocre rouge d'une hauteur de 60 mètres qui, sur trois flancs de colline, bordent le village.

Le bonheur veut qu'une autre histoire, plus quotidienne, regorgeant de détails savoureux et de fines analyses nous soit donnée par un sociologue américain, Laurence Wylie, qui vécut à Roussillon en 1950 afin d'y rédiger sa thèse publiée sous le titre d'« Un village de Vaucluse ». Roussillon s'y dissimule sous le pseudonyme de Peyrane, mais ne serait-ce qu'en raison de la couverture de ce livre qui présente une photographie du clocher de la vieille tour qui sépare la partie ancienne et perchée du village de son bourg, on n'a pas de peine à le reconnaître.

Dans le chapitre « Peyrane et son passé », L. Wylie narre quelles vicissitudes connut ce village durant les deux derniers siècles. Après avoir connu une expansion régulière qui l'avait dégagé de l'autarcie et ouvert à l'extérieur, le village entra en récession aux alentours de 1870 (le gel des oliviers, une épidémie qui donna le coup de grâce à l'élevage du ver à soie que pratiquaient femmes et enfants, la venue du phylloxéra qui anéantit les vignes en furent les causes principales). Contrariée par le trop grand morcellement des terres dont le découpage remonte au XVIe siècle, la vie agricole ne permit pas d'enrayer le dépeuplement du village. A partir de 1901 les grandes falaises d'ocre qui, dit-on, avaient déjà été utilisées par les Romains, furent exploitées systématiquement et donnèrent au relief de Roussillon cet aspect tourmenté, ces formes d'une singulière beauté que l'érosion et le mistral continuent de raviner. Mais l'exploitation de ces carrières dépendait du marché international, les deux guerres mondiales furent donc des périodes très difficiles pour les exploitants. Cette extraction acheva de péricliter lorsqu'aux Etats-Unis on mit au point un produit de synthèse qui remplaça l'ocre du Vaucluse.

Lorsque L. Wylie rédigea son livre, Roussillon connaissait ses dernières années d'autarcie : la petite localité regroupait une population de cultivateurs qui faisait travailler quelques commerçants et artisans (il y avait par exemple deux forgerons et cinq épiceries). Après 1950, comme le montrent les chapitres de l'épilogue rédigés à la faveur de plusieurs rééditions, une évolution se précipita : consécutive à l'implantation des résidents secondaires la flambée des prix de l'immobilier coïncida avec le temps de la modernisation dont tous les agriculteurs ne profitèrent pas. Les touristes ne songent pas toujours à ces transformations lorsqu'ils viennent admirer les dix-huit nuances de l'ocre rouge du Vallon des Fées.

Prix Nobel de littérature, Samuel Beckett
vécut en réfugié à Roussillon durant la guerre.
Cet épisode de sa vie est confirmé par un passage
d'En attendant Godot : " Nous avons fait les vendanges,
tiens, tiens, chez un nommé Bonnelly, à Roussillon...
Là-bas, tout est rouge ! ".

Gordes

Village perché, logé sur la bordure méridionale du plateau du Vaucluse, Gordes étage les toits de plusieurs groupes de maisons depuis la base jusqu'au sommet d'une falaise escarpée qui culmine à 370 mètres d'altitude. Longtemps doté d'une sous-préfecture et d'un hospice datant du dix-huitième siècle ce village, qui comptait 2.500 habitants en 1876, abrite aujourd'hui 1.574 personnes (recensement de 1975). Dans les années cinquante, cette agglomération a connu, comme tant d'autres villages de cette région, une seconde jeunesse grâce à l'apport d'éléments extérieurs venus restaurer ses maisons afin de les habiter une partie de l'année.

Parmi les premiers nouveaux occupants, on relevait au moins deux noms célèbres, ceux d'André Lhote et Marc Chagall. Une anecdote qui tendait à accréditer l'idée selon laquelle l'achat d'une maison à Gordes pouvait procurer d'excellentes aubaines, amplifia la réputation du village. Un sociologue de la Sorbonne, qui venait d'acheter pour un prix dérisoire une ruine qu'il voulait rebâtir, avait en effet constaté, contre toute attente, n'avoir pas fait l'achat d'une maison à un étage : au moment des travaux de déblaiement, il avait compris que sa maison comportait en fait quatre étages creusés à flanc de colline.

Site défensif, Gordes avait, dès le onzième siècle, son château et son seigneur en la personne de Bernard de Gordes. Témoin de cette époque médiévale, en contrebas de l'église paroissiale, une vieille bâtisse du treizième siècle présente une vaste salle rectangulaire comportant des voûtes d'arêtes et des piliers-colonnes. Cette bâtisse sert aujourd'hui de musée municipal. Quant au château médiéval, il a été remplacé au seizième siècle par un édifice fortifié de style Renaissance qui, après avoir été la propriété de la famille des Simiane, échut jusqu'à la Révolution aux princes de Condé (depuis 1970, cinq salles modernisées de ce château accueillent la fondation du peintre Vasarely).

Lieu de culte réformé, Gordes faillit être enlevé par le redoutable baron des Adrets, qui rebroussa chemin en voyant qu'il ne pouvait pas assaillir par surprise les habitants qui s'étaient retranchés (la seconde chance des protestants de ce village, ce fut la réponse que le baron de Gordes-Simiane fit à l'envoyé du roi qui le sommait de mettre à exécution les ordres qu'il avait reçus pour la Saint-Barthélémy : « Je suis lieutenant du Roy, mais non point son bourreau ! »).

Fréquenté par de nombreux touristes également désireux de visiter l'abbaye de Sénanque, ce lieu de villégiature fut aussi un lieu de résistance : le 22 août 44, treize personnes furent exécutées en représailles par les troupes allemandes, un bombardement endommagea sérieusement ou bien détruisit une vingtaine de maisons.

Gordes pourrait servir d'emblème
à tous ces villages perchés du Moyen Age
qui bénéficiaient de la protection d'un château.
Etagées les unes sur les autres, ses maisons profitent
de l'ensoleillement au moins sur leurs parties hautes. Le maillage
des rues et des calades souvent raides s'efforce d'épouser
la topographie du site. L'espace se trouvant resserré
à l'intérieur des maisons, c'est sur la place ou
sous les arcades que s'épanouissaient les
relations communautaires.

La présence de plusieurs groupes de
bories (certaines de ces cabanes en pierres sèches
ont 12 m de long et 7 m de hauteur) a longtemps fait
spéculer sur les origines protohistoriques de ce type d'habitation.
De récentes observations ont décontenancé les hypothèses
émises à ce propos : en réalité ces habitations ne sont
pas antérieures au dix-septième siècle, certaines
d'entre elles ne figuraient même pas dans
les cadastres du dix-neuvième.

Simiane-la-Rotonde

Tout près du plateau d'Albion, légèrement à l'écart par rapport à la route qui relie Apt et Banon, Simiane est juchée sur une hauteur — à 630 mètres d'altitude — où l'on accède par une route en lacets. Une fois qu'on a garé son véhicule tout près de l'entrée du village, on peut se promener par des rues étroites qui permettent de découvrir d'anciennes maisons souvent bien restaurées, parfois dotées de très belles portes en bois sculpté. Entre les halles et la porte d'entrée du vieux village, on peut voir la maison du feuilletoniste du XIXe siècle, Ponson du Terrail (natif de Veynes, il habita cette demeure ; surnommé par ses contemporains « Ponson tu dérailles », il fut le créateur de l'excellent Rocambole).

Par la grande baie des halles, on a une vue plongeante sur les vergers et les champs de lavande qui précèdent le village. Ces halles sont extrêmement reconnaissables dans la mesure où elles ont été immortalisées par une très belle photographie d'Henri Cartier-Bresson.

Pendant les années 60, Simiane fut habitée par le philosophe Jean Grenier qui y passa une partie des dernières années de sa vie. Le poète Yves Bonnefoy a également vécu dans un hameau tout proche à partir duquel fut imaginé et conçu son grand recueil « Dans le leurre du seuil ».

Mais ce village doit sa vraie renommée et son nom à la Rotonde énigmatique qui le surplombe tout près des ruines de l'ancien château-fort. Cette construction circulaire et massive excita longtemps l'imagination des archéologues mais fit aussi, avant qu'on achève sa restauration, leur désespoir (l'édifice fut longtemps menacé ; chaque hiver gel et dégel en se succédant entraînaient sa dislocation progressive).

Pour identifier ce monument, plusieurs hypothèses furent proposées : on imagina qu'il s'agissait par exemple du tombeau de Raimbault d'Agoult qui fut l'un des participants de la première croisade. Dans son tome II de « Provence romane », Guy Barruol a établi qu'il s'agissait du donjon de l'ancien château-fort. Cette tour comportait deux étages : son rez-de-chaussée avec une salle basse était séparé du niveau supérieur par un plancher. A ce deuxième niveau se trouvait une salle d'apparat et de réception pourvue d'une étonnante décoration profane — des chapiteaux représentant soit des masques humains, soit des feuillages stylisés. Le très bel intérieur de ce donjon permet d'apprécier douze niches sur lesquelles retombent les arcs qui soutiennent sa coupole.

Dans " Provence perdue ", Giono commentait
ainsi une photographie de la même façade : " Rien
n'appartient vraiment au passé. La boutique (probablement
une échoppe de drap) date de quelques siècles ; le réverbère de
1840 et la borne-fontaine de 1939 mais, si on ouvre les
contrevents, l'homme apparaîtra sans âge ".

Séguret

D'après l'étymologie, Séguret serait avant tout un lieu sûr. Vaison étant très proche, ce site fut occupé dès l'époque romaine — son sol a livré de nombreux vestiges de cette période, notamment une statue de Jupiter qui, bien que brisée et décapitée, mesurait trois mètres de hauteur.

Avant d'être rattaché à Avignon, Séguret fut au XIIIe siècle sous la dépendance de la principauté d'Orange. En 1578, par suite d'une trahison, son château faillit être pris par les huguenots.

Le village est structuré horizontalement, au pied des falaises abruptes de la colline où subsistent les murailles éboulées d'un château fort. Depuis la plaine on les discerne difficilement, des pans de mur émergent péniblement des taillis qui recouvrent les hauteurs de cette colline. Les remparts du village, qui délimitent trois rues parallèles sont par contre assez bien conservés. Dans cette région où l'on cultivait autrefois le ver à soie, la plaine est fertile, le vignoble réputé (Gigondas et Beaumes de Venise ne sont pas loin).

On pénètre dans la zone piétonne de ce village en passant sous une porte voûtée qui sert de fondation aux premières maisons de la rue : c'est la Porte Reynier, du nom d'un gouverneur de cet endroit durant la seconde moitié du XIIIe siècle. Avec ses caves de dégustation et ses boutiques de santonniers par bonheur discrètes, les rues de Séguret forment un espace en partie réutilisé pour le passage des touristes qui peuvent faire halte auprès du grand lavoir qui jouxte une fontaine moussue : c'est la Fontaine des Mascarons qui date du XVIIe siècle. Deux ou trois parcours (la rue du Château Fort qui fait plusieurs coudes au milieu des maisons, des murets et des ronciers est peut-être la plus pittoresque) permettent d'accéder jusqu'à l'église romane, située sur la dernière esplanade du village. La nef de cet édifice s'adosse aux rochers ; un collatéral lui fut ajouté au XVIe siècle.

Séguret compte 700 habitants parmi lesquels figurent des artistes et des artisans (santonniers, tisserands ou lithographes). Un Centre International ouvert à des stagiaires chaque été fonctionne depuis le début des années soixante.

Pour battre et rincer
leur linge au lavoir, les femmes
se mettaient à genoux sur
de petites caisses garnies de paille.
Parce que l'eau était parfois
rare et les bonnes places prises
d'assaut, de vives querelles pouvaient
naître entre les lavandières qui avaient
aussi coutume d'interrompre leur
travail afin de mieux profiter
de leurs conversations.

Crestet

A l'écart de la route qui relie Malaucène et Vaison la Romaine, Crestet est un village solidement composé à flanc de colline et, pour l'heure, préservé de constructions parasites susceptibles d'entamer l'harmonie qu'il doit à plusieurs siècles de son histoire. Au risque de nuire à sa tranquillité — à la fin du mois d'août les après-midi passées au Crestet permettent rarement de rencontrer âme qui vive — je dirai de ce village secret et retiré qu'il est peut-être le plus beau que je connaisse en Provence. Sillonné de ruelles en déclivité, voire de sentiers de chèvre, Crestet offre au voyageur le silence d'une promenade solitaire au cœur d'une agglomération qui, paradoxalement si l'on en juge par la bonne qualité des restaurations ici pratiquées, semble vivace, nullement abandonnée. Un chemin goudronné conduit directement au sommet du village, soit à 380 mètres d'altitude, tout près des ruines d'un château médiéval légèrement remodelé au XIVe siècle. Cette demeure fortifiée servit de refuge aux évêques de Vaison qui furent contraints de s'y replier après les destructions infligées par le comte de Toulouse. En juillet 1563, elle subit le siège des troupes calvinistes qui rassemblèrent 1.500 hommes d'infanterie, 500 cavaliers, 100 arquebusiers et 4 canons. A l'issue de ce siège, qui provoqua de lourdes brèches mais se solda par un échec pour les assaillants, 150 hommes trouvèrent la mort.

Démantelé sur l'ordre de Louis XIV, abandonné pendant la Révolution, le château servit de carrière de pierre aux habitants du Crestet (aujourd'hui la commune regroupe 300 habitants qui ne bénéficient d'aucun commerce local, le dernier café du village ayant été fermé en 1952). A partir du château, on peut déambuler au cœur d'une série de petites rues souvent pittoresques (la rue du peintre René Durieu, qui habitait Crestet durant les années 30, a été décorée par ses soins de statues votives) qui conduisent à la petite place à fontaine qui fait face à l'église. L'étroitesse de cette place, la hauteur des maisons et du clocher pyramidal de l'église Saint-Sauveur donnent une étrange résonance à l'eau de cette fontaine.

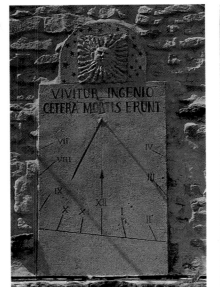

Au siècle dernier, chaque village avait son heure propre, le temps n'était pas unifié. C'est sur les pierres gravées des cadrans solaires que se lisait la marche du jour ; les lignes horaires et les lignes dates de ces tables étaient souvent accompagnées de sages inscriptions qui incitaient à réfléchir sur la brièveté de la vie.

Le Barroux

Entre Carpentras et Vaison, au lieu exact d'un passage qui permettait de relier le Ventoux et les plaines du Comtat, le Barroux c'est, tout d'abord, la silhouette d'un solide et élégant château qui surplombe à 337 mètres d'altitude le village et les vignobles des alentours. Quatre tours d'angle, d'épaisses murailles crénelées et ceintes d'un chemin de ronde encadrent un donjon qui forme la partie la plus ancienne de ce château dont les premiers éléments relèvent du XIIe siècle. Avant d'être occupé par une famille de Piémontais, les Roviglasc, ce château appartint aux comtes de Toulouse, puis aux princes baussencs.

Installés là grâce à la papauté, les Roviglasc reconstruisirent presque totalement la forteresse médiévale. Tout en lui gardant son caractère strictement défensif (les remparts sont percés de nombreux trous destinés à faire usage de l'artillerie de l'époque), ils le dotèrent de fenêtres à meneaux qui la transformèrent en une demeure confortable et aérée. Cette reconstruction et cet embellissement du château s'effectuèrent entre 1539 et 1548, grâce aux soins d'Henri de Roviglasc.

Après avoir subi d'assez graves dommages pendant la Révolution, le château fut laissé à l'abandon jusqu'à son rachat en 1929 par un particulier qui entreprit de le restaurer. Un violent incendie, dû à l'occupation allemande, le 21 août 1944, provoqua une nouvelle reprise des travaux. Parfois reliées par une série de calades pentues qui permettent d'emprunter des raccourcis, les rues du village sont distribuées en auréoles concentriques par rapport au château. Aujourd'hui encore, Le Barroux achève de restaurer ses maisons : certains toits ont été transformés en terrasses par de nouveaux occupants, au niveau du dallage ou bien du ciment des rues, des esthétiques diverses coexistent, une végétation désordonnée et des maisons en ruines se rencontrent encore dans la partie haute. Autour de l'église, dont le clocher est surmonté d'un campanile, la placette Philemon Piquet (c'est le nom d'un ancien maire du lieu), malgré des travaux récents, avec son petit bureau de poste, ses platanes et son dépôt de pain-tabac présente des aspects assez traditionnels.

Pas encore entièrement restauré, propice à la circulation des piétons, ce village du Comtat conserve pour l'essentiel une allure à la fois austère et harmonieuse.

Cassis

M algré son port de pêche et son arrière-pays agricole, Cassis avec ses cinq mille habitants et sa proximité par rapport à Marseille qui n'est qu'à vingt-trois kilomètres, n'est pas à proprement parler un village. Pour ce qui concerne le port, le va et vient des vedettes de toutes espèces qui permettent de rallier les calanques de Port-Miou et d'En-Vau, le constant afflux des plaisanciers ont restreint la place dévolue aux barques de pêcheurs.
Elargi en 1623, l'espace portuaire ne ressemble plus du tout à celui que fut censé connaître Calendal, le petit pêcheur d'anchois imaginé par Mistral. Au XIXe siècle Cassis, qui n'était qu'un petit port de cabotage, assura grâce à ses importantes carrières de pierre un trafic assez conséquent : pierres et ciment étaient transportés vers Marseille par voie maritime.

Malgré la construction d'immeubles modernes qui défigurent en partie la colline, le site de Cassis garde belle allure. A l'Ouest, sa baie est encadrée par les hauteurs de la Gardiole et les falaises abruptes du Cap Canaille. A l'Est, d'autres arrière-plans montueux sont plantés d'oliviers, de figuiers et surtout de vignes, productrices de ce vin blanc fort réputé qui accompagne bouillabaisses et fruits de mer. Le plan des quartiers proches du port a été tracé dans le courant des dix-septième et dix-huitième siècles, au moment où les Cassidains purent désenclaver leur village autrefois perché tout près du vieux château qui les protégeait. Parmi les maisons à beaux portails de cette époque, on pourra identifier celle où naquit l'abbé Barthélémy ; typiquement provençale, avec ses platanes, ses fontaines et son hôtel de ville, la place de Baragnon est située un peu à l'écart des quais.

En Provence, l'espace de la rue est
souvent le prolongement de l'espace
domestique. Eplucher les légumes, bricoler
ou bien tricoter sur le bord du trottoir
sont autant de gestes qui relèvent des
habitudes les plus familières.
Plus simplement encore, sortir sa chaise,
prendre le frais afin de converser
avec les voisins et les gens de passage
sont des marques très courantes de
la sociabilité méridionale.

Porquerolles

I lot de 1257 hectares face à la presqu'île de Giens, Porquerolles est la plus grande des îles de la rade d'Hyères. Durant les siècles précédents, ce morceau d'archipel connut bien des vicissitudes et fut longtemps une proie de choix pour les pirates mauresques. Ces attaques incessantes découragèrent toutes les tentatives des populations résolues à s'installer sur l'île.

En 1550, pour pallier le dépeuplement de l'île, Henri II décréta Porquerolles terre d'asile pour les criminels et les condamnés dont ses prisons regorgeaient. Tout le rebut de la population de France et de Navarre se retrouva donc aux îles d'Hyères où l'impunité était assurée. Mais ces nouveaux colons supposés s'amender au contact de la nature et peupler définitivement ces îles, devinrent encore plus dangereux que les barbares. Il fallut attendre le règne de Louis XIV et son autorité pour que disparaissent ces curieux insulaires.

A l'entrée du siècle, grâce à un propriétaire éclairé, Porquerolles devint une des plus belles propriétés agricoles de la région. En 1971, l'Etat, afin de mettre fin aux différents projets de spéculation immobilière, se porte acquéreur des 8/10e de l'île. Après la création d'un conservatoire botanique et d'une ferme modèle, il entend y défendre une politique de sauvegarde de l'environnement commencée avec la création du Parc national de Port-Cros.

Le port est le seul point de débarquement de l'île ; en avançant vers le village, niché au pied de la colline Sainte-Agathe, vous croiserez de nombreux vélos (la circulation automobile est interdite sur l'île).

De construction simple, les maisons se regroupent autour de la place d'Armes, un vaste quadrilatère qui servait autrefois de champ de manœuvre pour les troupes de la garnison.

Sur son pourtour, les eucalyptus lui donnent ombrage. Tout au fond se trouve l'église Sainte-Anne (sainte Anne était la patronne des îles de l'archipel), édifiée au milieu du siècle dernier par le génie militaire à qui l'on doit évidemment le fort Sainte-Agathe qui domine l'ensemble.

La place d'Armes, vaste rectangle autour
duquel se regroupent les maisons porquerollaises,
est un terrain de prédilection pour les joueurs de pétanque.
Dominant la place, la petite église de Sainte-Anne, construite au
siècle dernier accentue le rôle exotique du village.

Saint-Tropez

D'un côté, la cohue des camping-caravanings, le déferlement désinvolte et fellinien des vacanciers qui espèrent côtoyer dans les rues ou bien sur les terrasses des cafés quelques demi-vedettes du cinéma ou du show-business ; de l'autre, les réjouissances du 17 mai quand, en l'honneur du saint décapité, torpilleurs et sous-marins font réplique aux tromblons de la bravade ; telles semblent être les deux images à la fois contradictoires et conventionnelles qu'on associe le plus souvent au nom de Saint-Tropez.

Malgré ce premier écran d'images et en dépit des destructions dues au bombardement de 1944, il faut tenter d'évoquer le port que nous n'avons jamais connu, celui qu'animaient, à la place des yachts qui aujourd'hui s'ancrent ostensiblement, les trois mâts, les goélettes, les tartanes et les bateaux de pêche. Même si cette époque est totalement révolue — de ces anciennes activités ne subsiste guère que la halle aux poissons, tous les ateliers d'entretien et de réparations navales ont disparu — il faut aussi dire le plaisir que l'on peut éprouver en hiver et pendant les arrière-saisons à déambuler dans certains quartiers de Saint-Tropez. Avec ses maisons à tuiles romanes et gênoises, le vieux village offre parfois des rues désertes et pittoresques comme la rue de la Miséricorde. Dans le quartier de la Glaye par exemple, en bordure de grève, on peut reconnaître la structure des maisons de pêcheurs, avec leurs petites ouvertures et leurs caves voûtées, destinées à entreposer barques et filets.

Il faut rappeler que la presqu'île de Saint-Tropez, comme le marque bien le précieux Musée de l'Annonciade, fut un merveilleux foyer de création pour le post-impressionnisme, qu'en 1892 Paul Signac fut le premier à s'y installer et que l'y rejoignirent tour à tour Matisse, Marquet, Bonnard et Dunoyer de Segonzac. Enfin, il faut aussi mentionner que Colette vécut quinze très belles saisons de son existence dans une demeure un peu éloignée du village, entre vignobles et pinèdes, à « La Treille Muscate », du côté des Salins : cette maison-là, aujourd'hui encore, des lauriers touffus, des pins la dissimulent aux yeux des curieux. Et c'est bien à Colette, aux rames de papier bleu sur lesquelles fut écrit « la Naissance du jour » qu'il faut laisser la parole : « Quel pays ! L'envahisseur le dote de villas et de garages, d'automobiles, de faux « mas » où l'on danse ; le sauvage du Nord morcelle, spécule, déboise, et c'est tant pis, certes. Mais combien de ravisseurs se sont, au cours des siècles, épris d'une telle captive ? ».

Le temps heureux que connut Colette se prolongea durant les premières années de l'après-guerre : Boris Vian, Mouloudji, Daniel Gélin et tout un réseau d'amis firent de cet endroit l'une des annexes de Saint-Germain des Prés. Par la suite, durant les années cinquante, Roger Vadim contribua à la révélation d'une actrice alors peu connue, qui habitera plus tard la villa « La Madrague ». Simultanément, en 1954, Françoise Sagan publiait « Bonjour Tristesse ». Dix ans plus tard, pendant l'été 1964, le tournage du film « Le Gendarme de Saint-Tropez » achevait de faire connaître au monde entier les plages et les quais d'un port naguère tranquille.

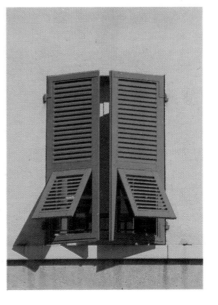

" Craignez de faire comme moi, qui
me suis amarrée à ce port, que de loin j'avais
vu suspendu, étiré sur la mer. Pour l'avoir vu aérien,
lilas à la nuit tombante, puis d'acier neuf au clair de lune,
j'ai voulu savoir quel fard l'aurore mettait sur les façades plates
de ces maisons anciennes... Ici s'effeuillent de vieux soucis.
Ici règne une couleur bleue qui ailleurs est celle du
songe, mais qui sur le rivage provençal baigne
toutes les réalités ". (Colette).

Grimaud

A dix kilomètres de Saint-Tropez, Grimaud est, avec ses 2.400 habitants, un village actif et vivant qui étage ses maisons sur l'amphithéâtre d'une colline, entre les ruines d'un château et la route nationale ; une succession de modestes boulevards conduit à un vieux quartier avec des placettes, des ruelles et des passages voûtés.

Autrefois capitale des Maures, ce village doit son nom aux barons de Grimaldi à qui le comte de Provence accorda un fief par suite d'une victoire remportée sur les Sarrasins. Pendant la courte période révolutionnaire, Grimaud fut débaptisé et appelé Athénople, en l'honneur des colons grecs qui avaient fondé une première cité tout près des rivages où vient d'être bâtie la cité lacustre de Port-Grimaud.

Le château de la baronnie des Grimaldi fut démantelé sur l'ordre de Louis XIII. Il datait de la fin de la guerre de Cent Ans ; il n'en subsiste que quelques débris fantômatiques, visibles au cœur des herbes sèches d'un vaste terrain vague.

La visite de cette localité vaut surtout pour le charme de la promenade qu'offrent des rues bordées de maisons basses parfois couvertes de gênoises agréablement fleuries de tonnelles et de glycines. Tout près de l'église romane de Saint-Michel se trouve la Maison des Templiers qui comporte une salle capitulaire et dont la façade repose sur de belles arcades gothiques. Située à l'autre bout du village, la chapelle de la Miséricorde appartenait jadis à la confrérie des Pénitents Blancs.

En plusieurs points du village, en particulier sur le bord des esplanades, on peut prendre vue sur le golfe de Saint-Tropez : sur ce versant, les montagnes ménagent de nombreux nids de verdure, achèvent de descendre en pente douce jusqu'au niveau de la mer.

Mérimée avait remarqué
que " les Provençaux semblent ne
regarder leur maison que comme un lieu
d'abri temporaire ". C'est au café ou bien
sur la place qu'ils se rencontraient et
vivaient une grande partie de leurs
temps de loisirs.

Gassin

Malgré sa position éminemment stratégique, à 201 mètres d'altitude, en raison peut-être de l'étroitesse de sa plate-forme, Gassin ne fut jamais le siège d'un château fort. A l'époque des razzias des Sarrasins, ce fut par contre un lieu de vigie extrêmement précieux, aménagé par les Templiers. Dès qu'un navire ennemi apparaissait sur la proche baie de Saint-Tropez, le fortin émettait un signal d'alarme, immédiatement répercuté depuis le château de Grimaud. Dans son « Dictionnaire historique et topographique de la Provence », Grimaud raconte que, dès que l'alarme était donnée, « aussitôt les malheureux cultivateurs de la contrée mettaient en sûreté leurs familles et leurs troupeaux et s'armaient pour repousser l'ennemi ».

Gassin n'eut pas à souffrir de la guerre des Ligues. Au XVIIᵉ siècle ses remparts, qui avaient été pourtant auparavant agrandis et presque doublés, furent abattus pour des raisons tout à fait pacifiques : trop étroite, leur enceinte empêchait que se développe le village. Cette première période d'expansion se révéla éphémère. Au début du dix-neuvième siècle la colline fut en partie désertée : parce que les chemins d'accès au village étaient peu praticables et trop montueux, les cultivateurs abandonnaient peu à peu leurs maisons afin de s'établir au plus près de leurs terres. A cette époque, Gassin faisait figure de hameau, la plupart de ses maisons étaient en ruines.

L'obstination de quelques familles, et surtout le développement grandissant du tourisme, permirent de rétablir la situation. Aujourd'hui Gassin est un village habité en permanence et très fréquenté durant la belle saison. Sur le bord de la place, on profite d'une splendide vue sur le golfe de Saint-Tropez, la baie de Cavalaire, et les Maures.

Colette croyait que le tourisme ne pourrait pas
altérer les vieux villages du littoral : " Je ne pense pas
qu'un tapage nocturne ait jamais résisté à Gassin altier et doux...
On ne fait pas la bringue entre un porche et une
façade antique à volets clos "
(Journal à rebours).

Ramatuelle

Une petite route communale parfois bordée de fougères
permet de franchir les neuf kilomètres qui séparent
Gassin de Ramatuelle ; le village domine les vignobles qui
montent jusqu'à lui depuis la plaine de Pampelonne. Lorsque
l'on contemple les maisons qui forment sur l'emplacement des
remparts une enceinte circulaire, on peut se souvenir d'un presque
plaisant épisode de la guerre des Ligues : en 1592,
les assaillants dirigés par La Valette allaient l'emporter,
les habitants de Ramatuelle se trouvant dépourvus de munitions.
Mais ces derniers se souvinrent qu'ils étaient d'excellents
apiculteurs : ce sont des ruches entières qu'en désespoir de cause
ils projetèrent sur leurs adversaires, peu habitués à ce genre
d'agression. Une seconde légende veut que, pour contrer des
invasions de sauterelles, les Ramatuellois se soient mis à
développer l'élevage des dindons. Lasses de les plumer, leurs
femmes refusèrent de continuer à élever ces volatiles ; depuis, pour
commémorer l'événement, les hommes déjeunent entre eux le
jour de la « Saint Dindon », chaque année en décembre.

D'autres repères, disséminés dans le village, témoignent aussi
de son ancienneté comme de son passé le plus récent.
Sur la grand'place, tout près du chevet de l'église, on peut voir un
ormeau tricentenaire planté là à l'époque de Sully. En face du
cimetière où repose Gérard Philipe — né à Cannes en 1922, il
mourut en 1959 — un monument aux morts rappelle que,
pendant la seconde guerre mondiale, en abordant la côte proche —
au niveau de la Roche Escudelier — des sous-marins assuraient des
liaisons régulières en direction de la Résistance.

Mais on peut rester sourd à la rumeur de ces histoires
et se contenter du bonheur de flâner dans les ruelles
plus que jamais étroites qui permettent de sillonner ce village :
celles-ci ont parfois la taille d'un simple boyau, en d'autres endroits
— comme dans la rue « Rompe-Cu » — ce sont des escaliers.
Assez simples, rarement outrageusement restaurées,
les maisons relèvent d'un style homogène, parfois agrémenté par la
présence de jasmins ou de chèvrefeuilles.

Cotignac

A u nord de Brignoles, à quinze kilomètres de Barjols, ce gros village varois
se dresse dans un fond de vallée, au pied d'une falaise de 80 mètres de haut et
de 400 mètres de large.
Cette très belle muraille, travaillée et sculptée par les eaux, supporte en son sommet
deux hautes tours qui sont les derniers vestiges d'un château-fort.
L'histoire raconte qu'en cas de danger les habitants de Cotignac venaient trouver refuge
dans les grottes ou cavités que ménageait cette muraille : des escaliers furent taillés,
des galeries creusées, afin de conforter cette position de repli. Aujourd'hui, les baies et
les ouvertures pratiquées à l'intérieur de cette architecture de troglodyte permettent
d'avoir de très belles vues d'ensemble sur le village.

Le nom de cette localité a été donné à une confiture qui se fabrique grâce à un
délicieux mélange de moût de raisin et de coings. Il est également célèbre pour une visite
qu'y firent, en 1660, Louis XIV et sa mère : le roi s'y rendit afin de faire « action
de grâces », sa naissance étant liée à un vœu fait par Louis XIII qui avait attendu vingt-
trois ans avant qu'Anne d'Autriche lui donne un enfant. Ce pèlerinage conduisit
le roi et sa suite jusqu'à Notre-Dame des Grâces, une chapelle bâtie sur une petite colline
proche baptisée, avec un humour involontaire, le « Mont Verdaille ».

Cotignac est doté de nombreuses vieilles rues, d'une église construite au
XVIᵉ siècle, d'une place de mairie avec un beffroi et d'un cours ombragé par des platanes,
avec une fontaine à chacune de ses extrémités. Certaines maisons datent du XVIIᵉ
et du XVIIIᵉ, l'hôpital Xavier-Martin est un bâtiment Renaissance.

Proche de certaines agglomérations du Var que M. Aguhlon a évoquées
dans « La République au village », Cotignac fait partie de ces « villages urbanisés »
qui sont familiers aux géographes de la Méditerranée. C'est presque une petite ville qui
offre un large éventail de services et ne vit pas uniquement de l'agriculture.
Les contrastes de fortunes y sont évidents : une nette distinction sépare d'une part
le quartier médiéval avec ses ruelles étroites et d'autre part le Cours et la Place Neuve
où les habitations sont plus spacieuses et aérées, pourvues en perrons, balcons et
jardins d'agrément. La sociabilité de ce village est très riche : en 1977 on
dénombrait 5 cafés et 21 associations d'origines diverses.

Les cours ne furent pas uniquement
l'apanage des grandes villes aristocratiques ou
bourgeoises comme Aix et Marseille. Des villages
de dimension modeste les adoptèrent également. Ce
sont des lieux privilégiés pour les rencontres, les discussions,
les promenades en famille ou bien la vie nocturne. L'animation
du village s'y concentre, ils servent de cadre aux
foires et aux marchés ainsi qu'aux fêtes et
rassemblements de toute espèce.

97

Moustiers

Edifié au sortir des gorges du Verdon, à 631 mètres d'altitude, ce gros bourg tire origine de l'installation, dès le cinquième siècle, dans les anfractuosités d'une double falaise, d'un monastère de moines venus de l'Ile de Lérins. De part et d'autre d'une faille sans cesse creusée par le torrent du Rioul, il compose avec l'enchevêtrement de ses ruelles et des ponts traversiers un paysage semi-naturel, semi-travaillé, en face duquel l'observateur éloigné ne sait plus tout à fait si la pierre a été taillée ou simplement érodée par le temps.

Ce paysage présente en outre un trait tout à fait singulier, en l'occurence une chaîne de fer, pourvue en son centre d'une étoile à cinq branches et longue de 227 mètres qui réunit les deux sommets de la falaise : l'histoire — ou bien la légende — nous apprend qu'il s'agit là d'un étonnant ex-voto exécuté en 1249 sur la demande d'un chevalier qui, lors d'une croisade, fut emprisonné puis libéré par les Sarrasins.
Ce qui fonde aussi la réputation de Moustiers, c'est évidemment le renom attaché aux faïences qu'ont créé ses artisans. Pendant deux siècles, Moustiers expédia dans toute la France, grâce à des convois muletiers qui ralliaient lentement Beaucaire, ses plats et ses assiettes d'abord bleus et ensuite polychromes. Depuis 1678, date de la création du four des Clérissy jusqu'à l'heure du déclin, en 1874, Moustiers fut un centre de production dont les célèbres motifs d'oiseaux, de fleurs et de grotesques supplantèrent longtemps d'autres concurrents moins artisanaux (on sait que cette activité traditionnelle a été relancée, pour le plus grand profit du commerce local, en 1925, sous l'impulsion de Marcel Provence).

A côté ou bien dans le prolongement de ses multiples boutiques de faïences, Moustiers offre la fraîcheur de ses rues où se succèdent, dans le désordre, auberges, maisons bourgeoises et demeures de plus faible superficie. Le clocher lombard à quatre étages de son église précède un autre édifice religieux érigé au sommet du calvaire, qu'empruntent chaque 8 septembre en procession et à quatre heures du matin les villageois qui veulent célébrer « la Messe de l'Aurore ».
A chaque détour de la rampe d'accès qui conduit à cette église bien nommée — on l'appelle soit Notre-Dame d'Entreroches soit Notre-Dame de Beauvoir — on peut apercevoir sur plusieurs angles cette localité. Grâce à ce point de vue, on aperçoit les plaines environnantes qui semblent fertiles et qui sont ponctuées de très beaux champs de lavande.

Natif de Vénascle, un hameau situé à 300 mètres au-dessus de Moustiers, le berger Marcel Scipion, auteur du « Clos du Roi » évoque, dans un chapitre de « L'Arbre du Mensonge », le passé du village : « Un des derniers coudes du chemin me livrait les toits de Moustiers avec leurs soleillaïres (terrasses sur les toits) où, au soleil de janvier, les grands-pères tissaient l'osier des banastes et où les femmes cardaient la laine. On y dégovait aussi les amandes et les noix qui, avec du pain et du miel, donnent le plus succulent des desserts. Ces soleillaïres ne prenaient vie qu'après le repas de midi. On s'y invitait entre voisins et on ne quittait la place qu'au coucher du soleil. La plupart des Moustiérens vivaient donc sur leur toit la moitié des jours d'hiver ».

La grande époque des faïences de Moustiers
est à situer à la fin du règne de Louis XIV : endetté,
le monarque résolut alors de faire fondre l'intégralité de sa
vaisselle d'or et d'argent. Pour la remplacer, il passa commande
aux faïenciers de Haute Provence. Toutes les élites louis-
quatorziennes le suivirent dans cette voie.

Seillans

E ntre Draguignan et Grasse, à six kilomètres de Fayence, Seillans est un vieux bourg bâti à 366 mètres d'altitude sur les pentes du Mont Auzière.
Ses remparts sont en partie conservés. Encore une fois, il s'agit d'un village perché avec des ruelles fleuries et pavées de galets qui permettent de gravir les pentes.

A Seillans, deux tours marquent bien la lutte ou la complicité entre deux pouvoirs qui tentèrent, ici comme ailleurs, d'établir leur autorité : la première de ces tours est paroissiale, la seconde, surmontée d'un beau campanile, relève de la commune. Ces deux tours sont proches de l'église à nef romane rebâtie en 1477 que l'on peut visiter afin d'y découvrir deux triptyques du XVe siècle.

Dans son « Dictionnaire de la Provence », publié en 1835 à Draguignan, Garcin nous donne une description intéressante et pas toujours cordiale de la vie quotidienne de ce village au début du dix-neuvième siècle :
« Les rues sont mal percées ; le pavé en est détestable. Deux fontaines fournissent une eau excellente.
On s'en sert pour arroser des prairies et des jardins potagers.
Elle fait mouvoir plusieurs engins, dont une belle filature à l'usage d'une fabrique de toile de coton, l'une et l'autre nouvellement établies dans un même local hors du village. Cette manufacture occupe beaucoup de monde, et procure de l'aisance aux familles pauvres du pays ».
Outre un excellent miel, ce village produit plusieurs variétés de fleurs aromatiques. Gounod et Alphonse Karr affectionnèrent d'y faire séjour, le peintre surréaliste Marx Ernst y vécut les dernières années de sa vie.

Pour résister aux assauts du vent
les cloches de villages bénéficièrent à partir
du XVIIe siècle de l'abri des cages que les ferronniers
surent forger en s'inspirant de la tradition italienne. Sphériques
ou pyramidaux, en forme de poire ou bien d'oignon, parfois
très ornementés grâce à toutes sortes de volutes et
d'arabesques, les campaniles de Provence
sont souvent très personnalisés.

Mougins

A peu de distance de Cannes et Grasse, Mougins dresse
ses vestiges de remparts et ses maisons au sommet
d'une colline située à 260 mètres d'altitude. A
mon sens un peu trop bien restauré, presque trop sage, ce
village, interdit à la circulation automobile, offre une agréable
promenade au cœur de la spirale de ses rues.
A l'entrée, pas loin de la porte fortifiée qui remonte au XVᵉ siècle,
on peut voir un lavoir qui a perdu toute authenticité puisque,
curièusement et de manière un peu trop fonctionnelle,
sa toiture abrite à présent une salle d'exposition.
Sur la placette proche, le décor se distribue autour
d'un vieil ormeau : d'un côté des terrasses de restaurant
dont les glaciers semblent tentants, de l'autre
l'Hôtel de Ville installé dans une ancienne chapelle de Pénitents
blancs, plus loin une modeste église. Ici encore,
de multiples échappées permettent d'accéder à de beaux
panoramas sur les environs verdoyants et pavillonnaires de ce site.

     Autrefois, les terres alentour étaient recouvertes
de marais, une mine de terre alumineuse fournissait en matière
première les potiers de Vallauris.
Aujourd'hui, les ressources de ce lieu sont presque uniquement
touristiques et hôtelières. De ce fait, Mougins fait partie
de ces villages de la Côte d'Azur dont la population d'origine rurale
disparaît peu à peu : une irrésistible évolution a transformé
l'espace où l'on travaillait en un espace que l'on regarde.
L'ethnologue Christian Bromberger s'est interrogé sur la vraie
nature du phénomène touristique : s'agit-il d'une panacée ou bien
d'un nouveau phylloxéra ? Chacun s'efforcera de donner
une réponse qu'on espère nuancée.

Certains villages de l'arrière-pays ne présentent plus
une seule ruine. La moindre pierre a pu faire l'objet d'une très
forte spéculation immobilière : tout a été rebâti et enjolivé,
l'espace a été remodelé pour satisfaire le flot des
touristes. Placettes et ruelles sont interdites
à la circulation automobile.

RUE
du COURANT d'AIR

RUE
de la GLISSADE

Les Hauts
de Cagnes

G agner les hauteurs de Cagnes, c'est quitter
l'urbanisation désordonnée, les résidences touristiques du
bord de mer. Au faîte de la colline où fut établi dès
1309 l'ancien château de la famille des Grimaldi,
une place bordée d'acacias et de palmiers délimite d'emblée la
qualité d'une atmosphère mieux préservée.
Adossé au château, un quartier de maisons en très belles pierres,
pourvu en ruelles interdites à la circulation automobile,
nous réserve le charme de sa découverte.

A vrai dire, ce n'est pas proprement un village mais plutôt
une ville haute ou bien un bourg qui s'est développé sur ces
hauteurs. Ce qui fait pourtant irrésistiblement penser à un lieu de
villégiature, c'est le calme silencieux qui accompagne
la promenade que l'on peut faire dans ces ruelles fraîches
et ombragées où de verts arbrisseaux et les lierres grimpants ne
semblent pas avoir de difficulté pour croître.
Si la robuste enveloppe de cette forteresse aux mâchicoulis
médiévaux dissimule un très beau patio du dix-septième siècle
— on peut au moins admirer les deux lionceaux sculptés
qui gardent l'escalier à double rampe qui mène à cette demeure.
On doit aussi s'arrêter près des remparts pour admirer
l'oratoire discret de la chapelle Notre-Dame de Protection
qui renferme des fresques d'Andrea della Cella. Cette chapelle
fut peinte par Renoir qui passa tout près de cette colline, avant de
s'éteindre en février 1919, les douze dernières années de sa vie.
Son fils, le cinéaste Jean Renoir, y vécut aussi une partie
de sa jeunesse. Mais d'autres figures hantent également ces lieux :
ici aussi passèrent et travaillèrent, au gré des ans et des occasions,
Monet, Rodin, Derain, Modigliani, Soutine et quelques autres.

A la fin de l'ouvrage qu'il consacra à son père,
Jean Renoir évoque les saisons passées à Cagnes, le mode
de vie du peintre en cet endroit. Auguste Renoir " approuvait
les Méridionaux qui ferment leurs volets l'été, ne s'exposent au
soleil que bien protégés par d'épais chapeaux, voire des
ombrelles, et mettent de l'ail dans tous leurs plats
pour " tuer les vers " ! Dans le Midi, il faisait
comme eux, quitte à agir en Parisien
lorsqu'il regagnait Montmartre ".

118

Biot

Biot est un village d'implantation ancienne qui fut un moment déserté et qui se repeupla dans un moment de son histoire durant lequel la conjoncture économique s'avéra plus favorable. Auparavant, la peste des années 1450, les ravages causés par les incessantes persécutions des corsaires avaient considérablement décimé cet endroit. Le seigneur du lieu fit ce qu'il fallait faire pour que soit repeuplé ce village perché sur une petite éminence, à quatre kilomètres du littoral : un « acte d'habitation » de 1470 permit l'installation de plusieurs familles de colons italiens qui entreprirent de remettre en valeur le terroir proche.

Dans le même temps le village fut remodelé : on créa la fameuse « Place des Arcades », dont les galeries en pleins cintres et en ogives sont en partie occupées par des magasins d'antiquités. A la même époque, l'église à trois nefs qui renferme deux beaux rétables de Louis Bréa fut en partie reconstruite.
Excepté au niveau de sa place des Arcades, Biot présente des apparences qui nous sont devenues très familières tout au long de ce périple au cœur des vieux villages de Provence : ici encore on peut flâner au cœur de ruelles pentues — on y accède par deux portes du XVIe siècle, la porte des Migraniers et la porte des Tines — on contemple des maisons qui s'entassent les unes sur les autres.

Le soir venu, on revient prendre des rafraîchissements sur les terrasses des cafés. Auparavant on aura pu visiter la Verrerie ou bien le Musée Fernand Léger. Plus simplement encore, on aura pu errer dans le vallon, loin des magasins de potiers et de verres soufflés qui offrent petites lampes à huile et cruches pour boire à la régalade ; on sera passé auprès des serres où sont cultivés œillets, anémones et mimosas.

*Edifiées lors d'une période de reconstruction,
les arcades en ogives de Biot — qu'on peut rapprocher des
arcades surbaissées de la place centrale de Valbonne — sont des
indices d'un nouvel urbanisme villageois, plus ordonné et
plus géométrique que celui qui était en vigueur au
Moyen Age.*

Saint-Paul-de-Vence

Village presque uniquement touristique ou bien résidentiel, Saint-Paul-de-Vence conserve encore quelques vestiges de vie traditionnelle : c'est tout au moins ce que l'on peut se dire lorsqu'à l'entrée du bourg, avant d'arriver aux remparts, on aperçoit le vieux lavoir et surtout la petite place où s'affairent les joueurs de pétanque, pas loin de l'Auberge de la Colombe d'Or sur laquelle nous reviendrons.

Erodés par le temps, massifs, les remparts de Saint-Paul furent érigés sous François Ier qui voulait faire de ce lieu un bastion susceptible de résister aux éventuelles agressions du duc de Savoie. Commencée en 1537, la construction de cette enceinte ne fut achevée que dix ans plus tard (au dix-septième siècle, Vauban lui apporta quelques retouches).

Une fois passée la porte de Vence, gardée par le célèbre canon « Lacan » qu'on a toujours soupçonné de n'être qu'un canon d'opérette uniquement capable de cracher des bordées de noyaux de cerises, on emprunte la Grand'Rue. Celle-ci est bordée par un nombre toujours grandissant de commerces d'art et d'artisanat ou bien de salles de restaurant. Pour celui qui recherche la tranquillité, mieux vaut peut-être venir hors saison ou bien emprunter des ruelles adjacentes. Mais avant de s'écarter de l'artère principale, il ne faut quand même pas manquer d'admirer la fontaine de la place Centrale derrière laquelle s'abrite la double voûte d'un lavoir. On peut donc se rendre ensuite du côté de l'église paroissiale — celle-ci, recouverte de stuc au dix-septième siècle, date du treizième — afin de rejoindre de très belles ruelles comme la « rue de derrière l'Eglise » ou bien la « rue du Saint-Esprit ». Sur l'autre versant de la rue principale, on peut, sans trop de crainte, bifurquer par les gradins descendant de la « rue du Casse-cou » afin de revenir vers les remparts qui offrent la possibilité d'un accès à leur vieux chemin de ronde.

A partir de là, loin de l'atmosphère un peu mercantile des échoppes, on peut contempler les vallons proches de l'éperon de Saint-Paul dont les pentes sont parsemées de fleurs, de vignes, d'orangers ou de cyprès.

Au siècle dernier, Saint-Paul-de-Vence connut une longue période de déclin : Vence était alors devenue la localité la plus importante de la région. Le réveil et la réputation du bourg fortifié ne commencèrent que pendant les années vingt, lorsque survinrent les artistes-peintres qui fréquentaient assidûment l'auberge de « la Colombe d'Or ».

Les écrivains et le monde du cinéma — entre autres Jean Giono, Jacques Prévert et le couple Simone Signoret - Yves Montand sortirent définitivement Saint-Paul de l'anonymat. La dernière vague d'arrivants célèbres fut provoquée par la construction dans la pinède de la colline des Gardettes de la Fondation Maeght. Bâtie d'après les plans de l'architecte José Luis Sert, la fondation programme chaque été des expositions d'art plastique de niveau international.

Dès l'entre-deux guerres, Signac, Bonnard
ou Soutine fréquentaient une guinguette qui devint
plus tard " la Colombe d'Or ". Cet endroit fut marqué
par le constant passage de générations d'artistes ou d'écrivains :
après Matisse et Vlaminck survinrent Giono et Prévert qui
introduisit des gens de cinéma. Les années 50 connurent
l'inévitable arrivée de Picasso, ensuite ce fut un lieu
de rencontres pour des artistes liés à la
Fondation Maeght (Braque, Chagall,
Bazaine, Giacometti, etc...).

Eze

Comme maintes localités du littoral, ce site, pourtant escarpé et fortifié, eut plusieurs fois maille à partir avec les corsaires maures.
Ses 427 mètres d'altitude furent à l'origine occupés par un oppidum ligure qui eut par la suite pour prolongement un château entièrement détruit en 1706 sur l'ordre de Louis XIV : deux pans de murs et un souvenir de voûte en sont les seuls vestiges, que l'on peut découvrir parmi les cactus du jardin exotique créé en 1949 qui couronne aujourd'hui l'endroit. La visite de ce village, où abondent les boutiques de souvenirs et les restaurants, vaut aussi pour la splendide vue de la mer qu'on aperçoit au débouché de certaines rues.
En sus de ses plantes rares, le jardin offre un très beau belvédère à partir duquel on voit très bien le Cap Ferrat et la rade de Villefranche (il nous a été affirmé que, par temps très clair et de très bon matin, on peut aussi deviner la Corse).

En redescendant parmi les ruelles, on s'arrête pour visiter la Chapelle des Pénitents Blancs et surtout l'église paroissiale qui a été reconstruite au dix-huitième siècle dans un très beau style baroque.
Entre pierre et ciment, des arbres et de belles plantes — des géraniums, des lilas d'Espagne — s'acharnent à pousser.

Dans un article intitulé « Eze-sur-mer ou la mutation d'un village », Ch. Vidal a analysé l'évolution de cet endroit qu'affectionnèrent George Sand et Frédéric Nietzsche. Après avoir rappelé qu'Eze était autrefois un modeste village qui vivait d'agriculture et de gardiennage de troupeaux, il s'interroge à propos de la dimension exclusivement touristique qui est aujourd'hui la seule ressource du lieu.
Surtout il se demande si ce sont les anciens habitants ou bien des arrivants plus récents qui ont retiré bénéfice de cette mutation. A propos des anciens habitants, il écrit :
« La plupart n'ont pas vécu un conte de fée, car la mutation a commencé lentement, il y a longtemps, au moment où la conjoncture arrachait les ruraux à la terre et les attirait à la ville : beaucoup d'entre eux ont vendu leurs vieux murs ou leurs pauvres parcelles (au château Balsan par exemple) pour une somme qui apparaît maintenant dérisoire à leurs descendants et leur donne d'amers regrets ; mais d'autres ont pu faire bâtir une résidence secondaire sur ces terres qu'ils avaient conservées, et un petit nombre, resté là depuis leur naissance, y ont leur activité et gardent en réserve au moins une partie de leur héritage » (Extrait de « Recherches méditerranéennes », 1969).

Nietzsche raconte avoir composé la troisième partie de Zarathoustra " au cours d'une ascension fort rude entre la gare et le merveilleux village maure d'Eze... On m'a souvent vu danser dans ma joie ; je pouvais alors, sans soupçon de fatigue, gravir les monts sept ou huit heures d'affilée ".

Tourrettes-sur-Loup

O n arrive à Tourrettes par les lacets d'une route qui réunit Vence et Grasse. Assez accidentées, les gorges du Loup, un torrent bien nommé, obligent à emprunter un parcours sinueux. On trouve à garer son véhicule sur la spacieuse place de la Liberté qui donne à cette localité l'aspect d'un bourg prospère et paisible.

Reste pourtant à mieux saisir l'envers du décor de ce village perché : implanté sur les contreforts d'un lieu déjà situé à 400 mètres d'altitude, Tourrettes présente en effet une façade en surplomb tout à fait raide et austère, dans le prolongement des falaises mi-feuillues mi-rocheuses qu'ont achevées de creuser les eaux rapides du torrent déjà signalé.

La région niçoise étant proche, c'est à certains villages italiens ou corses que l'on songe en contemplant la première enveloppe des maisons sur laquelle le village s'est appuyé.

Cultivées sur les planches des terrasses avoisinantes, les violettes, qui bénéficient ici d'un climat plus frais et plus clément que sur la côte, furent longtemps la ressource majeure de ce village : d'octobre à mars, chaque année, plus d'un million de bouquets sont rassemblés grâce aux soins d'une soixantaine de familles. Parallèlement à la floriculture, Tourrettes développe depuis une dizaine d'années diverses activités artisanales (poteries, sculptures et surtout ateliers de couture ou bien de tissage).

A côté de son quartier à ruelles étroites et maisons anciennes, ce village possède, attenant à sa grande place, un très beau lavoir taillé dans le roc. On peut y visiter deux édifices religieux : une église principale qui renferme de beaux rétables et dont la nef date du XVe siècle, et à la périphérie la Chapelle Saint-Jean avec ses fresques naïves, proches du décor d'une bande dessinée.

Accolées ou imbriquées les unes aux autres
les maisons de ce quartier proche des remparts
ont un niveau de rez-de-chaussée qui coïncide rarement
avec celui de la rue. Des escaliers extérieurs permettent d'accéder
soit à la cave soit à ce qui formait la salle commune
de ces demeures. Très concentré, d'une faible
superficie, ce type d'habitation autrefois
modeste est à présent très recherché
par les vacanciers.

Peillon

D'entrée de jeu il faut avouer quelque visée annexionniste dans le désir qu'a eu notre éditeur de faire figurer, parmi « les villages de Provence », un village appartenant au pays niçois. Mais il nous était impossible de bouder notre plaisir : accroché sur l'abrupt d'un piton rocheux, l'apparition de cette sorte de Mont Saint-Michel que représente ce singulier village est proprement irrésistible. A l'écart de la vallée du Paillon, quelques kilomètres au-dessus de la route de Sospel et à une vingtaine de bornes de Nice, Peillon, avec son unité architecturale, la superposition de ses maisons dont les toits se chevauchent, est magnifiquement caractéristique des villages de montagnes. Les virages en épingle à cheveu qui permettent de s'en rapprocher n'ont pas de continuation : rejoindre Peillon, malgré les sentiers muletiers et les chemins de crête qui permettent de gagner ensuite la Turbie, c'est atteindre l'extrémité d'un monde presque tibétain. Une fois qu'on est passé devant la fontaine à vasque moussue qui introduit aux premiers abords du village, une chose devient évidente : la circulation automobile est impossible au cœur de ce village dont les pentes sont souvent très raides et dont les rues s'interrompent pour laisser place à des escaliers. Adossées les unes aux autres, les maisons sont souvent jouxtées grâce à des passages voûtés destinés à occuper les rares espaces laissés libres. Sur cet escarpement, la roche ne sert pas seulement de fondation à ces demeures, elle affleure souvent.

Lorsque, après avoir emprunté la « Carriera Centrala », on débouche sur la placette qui délimite le parvis de l'église haute, on découvre en forme d'à pic l'autre face de Peillon. Site défensif propre à décourager d'éventuels envahisseurs, ce village, comme le montrent les vestiges de restanques qui ponctuent ses alentours, fut sûrement élu par ses premiers habitants en raison de son potentiel agro-pastoral. L'absence totale de commerces, le silence qui règne dans ses dédales de rues, même quand on les traverse un samedi du mois de juin, marque bien l'engourdissement dans lequel il se trouve plongé. Les volets semblent fermés pour plus qu'une simple hibernation, depuis longtemps ce village s'est déperché au profit de Nice ou bien de la plus proche vallée.

Malgré sa vie au ralenti,
avec sa population d'un peu
moins de mille habitants, la petite
acropole de Peillon fait figure de
conservatoire : elle permet d'imaginer
la vie quotidienne au cœur de ces petites
cellules autonomes que constituaient les
villages de l'arrière-pays montagneux
avant l'urbanisation du littoral.
Ses maisons ont été bâties en hauteur :
le rez-de-chaussée abritait autrefois
les bêtes, la pièce principale était
située au premier, la chambre
à l'étage supérieur, et le
grenier sous les toits.